Xwarin, Xwarin, Xwarina Nuwaze

Food, Food, Fabulous Food

Written by Kate Clynes
Illustrated by MW

Re-telling in Kurdish Kurmanji by Janez Sar Ceper

Xwarin, xwarin, xwarina nuwaze,
Enerjiyê dide mirovî û bi mirovî dide baş hisandin,
Wê li hev bixîne û jê bike, dev bikê û biçelqîne,
Ti tiştekî wekî wê tune ye, xwarina nuwaze.

Food, food, fabulous food,
It gives us our energy and makes us feel good,
Poke it and break it, nibble it and shake it,
There's nothing quite like it, fabulous food.

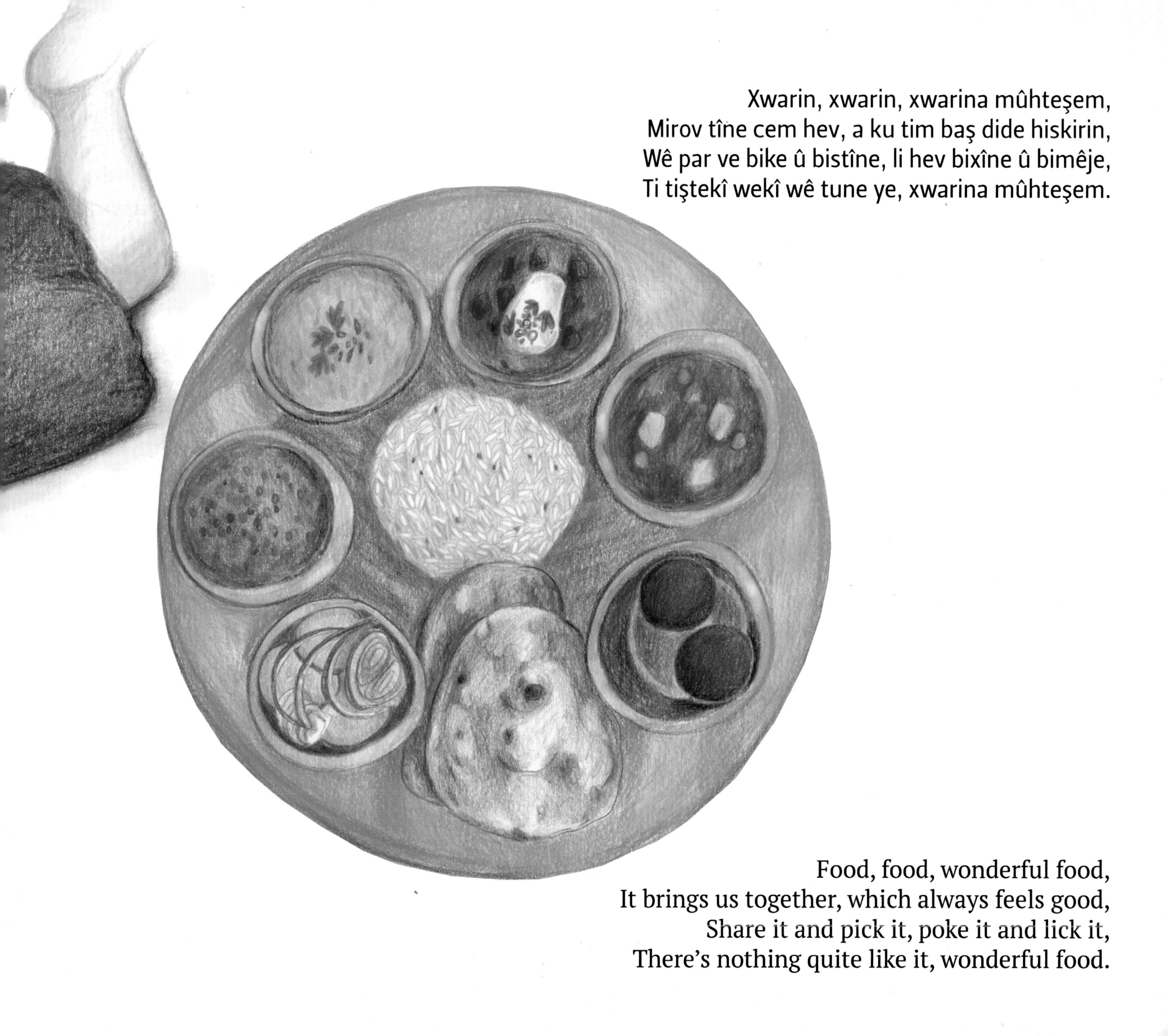

Xwarin, xwarin, xwarina mûhteşem,
Mirov tîne cem hev, a ku tim baş dide hiskirin,
Wê par ve bike û bistîne, li hev bixîne û bimêje,
Ti tiştekî wekî wê tune ye, xwarina mûhteşem.

Food, food, wonderful food,
It brings us together, which always feels good,
Share it and pick it, poke it and lick it,
There's nothing quite like it, wonderful food.

Xwarin, xwarin, xwarina xweş,
Masûlkeyên me ji bo ku karibin bişixwulin xurt dikin,
Wê zeft bike û jê bike, bigire û par ve bike,
Ti tiştekî wekî wê tune ye, xwarina xweş.

Food, food, beautiful food,
It builds up our muscles to work as they should,
Grab it and tear it, hold it and share it,
There's nothing quite like it, beautiful food.

Xwarin, xwarin, asûka ji bo xwarinê,
Divê em çi bipirsin, giş pir xweş xuya dikin,
Wê bibîne û bikere, pakêt bike û biceribîne,
Ti tiştekî wekî wê tune ye, hilbijartina xwarina me.

Food, food, shopping for food,
What shall we ask for it all looks so good,
See it and buy it, pack it and try it,
There's nothing quite like it, choosing our food.

Xwarin, xwarin, çêkirina xwarina me,
Terîfê bişopîne, hin tiştên baş bipijîne,
Wê tevî hev bike û li hev bixe, bipijîne û biqelîne,
Ti tiştekî wekî wê tune ye, çêkirina xwarina me.

Food, food, making our food,
Follow the recipe, cook something good,
Mix it and shake it, cook it and bake it,
There's nothing quite like it, making our food.

Xwarin, xwarin, mezinkirina xwarina me,
Di ronahiya tavê de, em giş pir baş his dikin,
Wê biçîne û av bide, jê hez bike û bi pê re bipeyive,
Ti tiştekî wekî wê tune ye, mezinkirina xwarina me.

Food, food, growing our food,
Out in the sunshine, we all feel so good,
Plant it and water it, love it and talk to it,
There's nothing quite like it, growing our food.

Xwarin, xwarin, xwarina fewqulade,
Me bextewar dike û dixe nava derûniyeke baş,
Rengên xweşik, her celeb şekil,
Bêhempayiya xwezayê, tenê binêre çi çêdike.

Food, food, incredible food,
It puts us all in a very good mood,
Beautiful colours, and various shapes,
Nature’s amazing, just look what it makes.

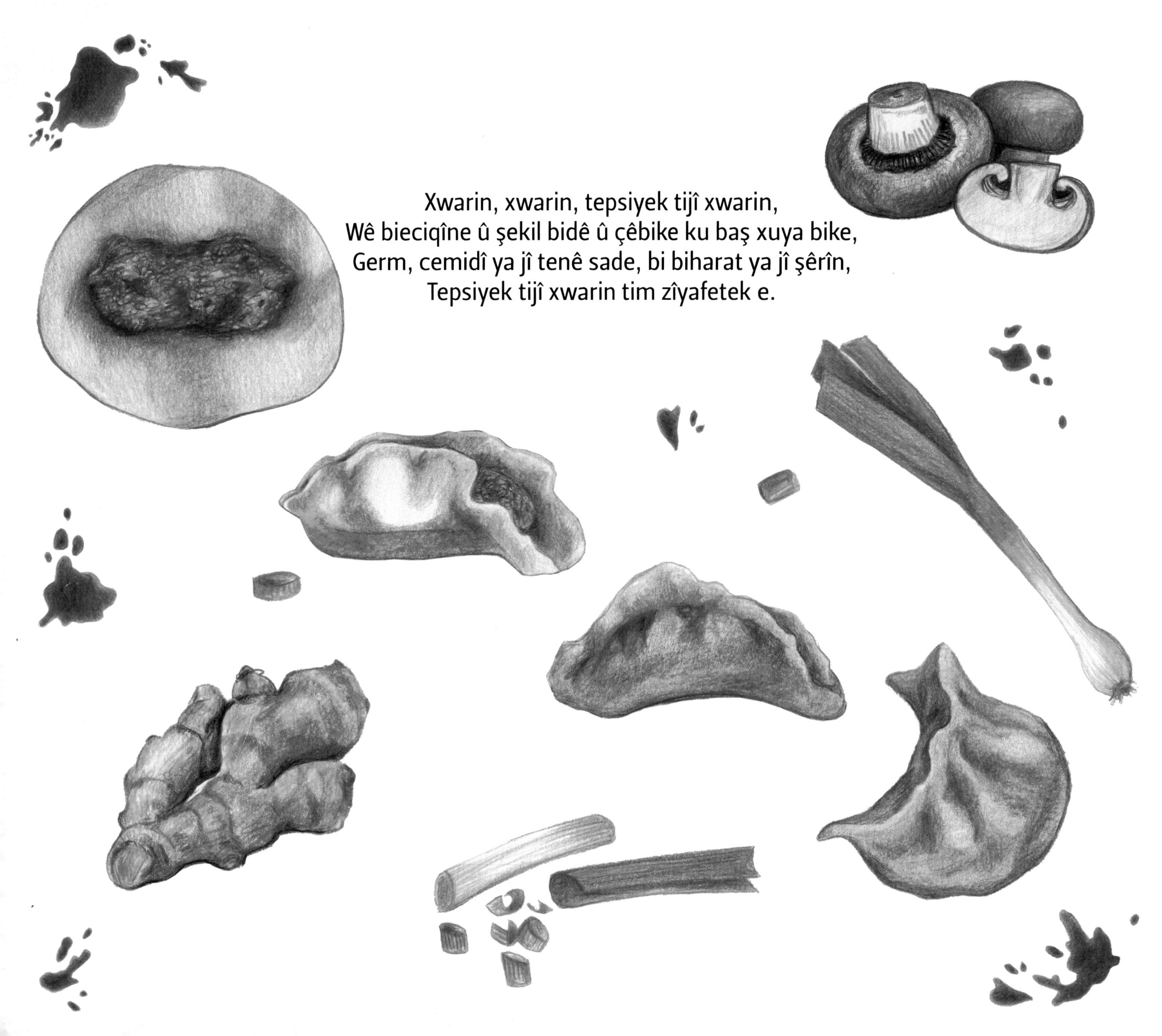

Xwarin, xwarin, tepsiyek tijî xwarin,
Wê bieciqîne û şekil bidê û çêbike ku baş xuya bike,
Germ, cemidî ya jî tenê sade, bi biharat ya jî şêrîn,
Tepsiyek tijî xwarin tim zîyafetek e.

Food food, a tray full of food,
Squeeze it and shape it and make it look good,
Hot, cold or just right, salty or sweet,
A tray full of food is always a treat.

Vexwarin, vexwarin, qedeha me tijî bike,
Şîr, ava vêkiyan ya jî av, heya ber dev,
Wê birijîne an jî biqulipîne, bipejiqîne an jî biniqutîne,
Wê bi baldarî çêdike, ku niqutekê jî nerijîne.

Drink, drink, fill up our cup,
Milk, juice or water, right up to the top,
Pour it or tip it, splash it or drip it,
Carefully does it, to not spill a drop.

Xwarin, xwarin, xwarina tendurist,
Zikên me dike xurexur, bêhna gişan pir xweş e,
Wê bibîne û servîs bike, biqasî ku em heq dikin,
Ti tiştekî wekî wê tune ye, bendemayîna ji bo xwarinê.

Food, food, healthy food,
Our tummies are rumbling, it all smells so good,
See it and serve it, as we all deserve it,
There's nothing quite like it, waiting for food.

Xwarin, xwarin, parvekirina xwarina me,
Gellek bijêre û giş ji wan xweş in,
Em giş ji hev hez dikin û em giş vê dipejirînin,
Ti tiştekî wekî wê tune ye, parastina tenduristiya me.

Food food sharing our food,
So many choices and all of them good,
We all love each other and we all agree,
There's nothing quite like it, to keep us healthy.

For Ellis and Indigo
– KC

For Edie and Otis
– MW

First published in 2019 by Mantra Lingua
Global House, 303 Ballards Lane, London N12 8NP
www.mantralingua.com

A CIP record for this book is available from the British Library

Printed in Letchworth Garden City, UKPE020719PB07193240

For Ellis and Indigo
– KC

For Edie and Otis
– MW

Hot Peppers, Ginger, Jerk Spices, Paprika, Saffron, Basil, Hibiscus, Oregano, Cumin

Parsley, Celery, Mint, Dill, Curry Powder, Cardamom, Ginger, Cinnamon, Nutmeg, Mustard

Fresh Chilies, Coriander, Cumin, Cinnamon, Oregano, Cloves, Allspice, Thyme, Epazote

Saffron, Harissa, Dukkah, Cinnamon, Mint, Cumin, Sumac, Parsley, Coriander, Lakama, Ras El Hanout

Cinnamon, Dill, Ginger, Juniper Berries, Nutmeg, Allspice, Savory Cloves, Paprika, Black Pepper

West Indies United Kingdom South America North Africa Eastern Europe

First published in 2019 by Mantra Lingua
Global House, 303 Ballards Lane, London N12 8NP
www.mantralingua.com

Text copyright © 2019 Kate Clynes
Illustration, audio and dual language copyright © 2019 Mantra Lingua

Printed in Letchworth Garden City, UKPE020719PB07193240